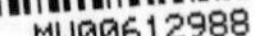
MW00612988

Colección
AVENTURAS para 3
El triángulo de oro en al-Ándalus
8
Córdoba
Sevilla
Granada

ÍNDICE

CAPÍTULOS

Los protagonistas

Andrés

Primo de Juan (los padres de Juan y Andrés son hermanos) y amigo de Rocío. Es delgado, no muy alto. Es serio, tranquilo, calculador y tiene un gran sentido de la orientación. Le encantan los ordenadores y la informática. Estudia en el colegio San José*, de jesuitas, en Valladolid. Su padre, *Martín*, es biólogo. Su madre, *Laura*, es diseñadora de moda.

Juan

Primo de Andrés. Es muy amigo de Rocío. Es alto, fuerte y muy ágil. Tiene un carácter alegre e impulsivo y no tiene sentido de la orientación. Estudia en el instituto Zorrilla. Su padre, *Esteban*, es profesor de Educación Especial. Su madre, *Carmen*, es fisioterapeuta.

Rocío

Es muy amiga de Juan desde la escuela primaria y ahora estudian en el mismo instituto. Es alta y delgada, de aspecto frágil. Es imaginativa y le gusta la magia y la aventura. Su padre, *Fernando*, trabaja en un banco. Su madre, *Inés*, es veterinaria.

Más

La gatita encontrada en *El secreto de la cueva* y adoptada por Andrés, Juan y Rocío. *Más* vive en casa de Rocío.

* Enseñanza pública: en España se estudia en *un colegio* la Educación Primaria (de los 6 a los 12 años) y en *un instituto* la Educación Secundaria (de los 12 a los 18 años). Enseñanza concertada y privada: en España se estudia *en un mismo colegio* la Primaria y la Secundaria.

El lugar de la aventura

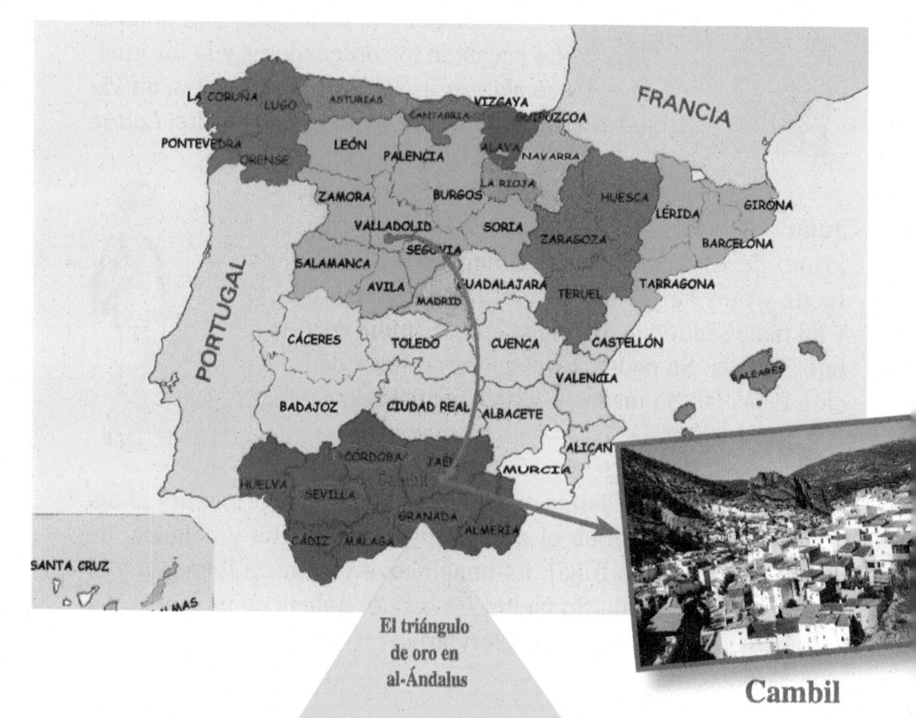

Cambil

El triángulo de oro en al-Ándalus

Los enigmas del número 3
Se buscan por Andalucía:

3 ciudades, 3 personajes, 3 tumbas, 3 frutas, 3 religiones, 3 culturas y un cuadro con 3 personajes.

Estas son las pistas:

- *Dos tienen una corona y el otro tiene un barco.*
- *Los tres personajes se han encontrado en el mismo lugar.*
- *Dos están en la misma tumba y el otro está enterrado en varios lugares.*

Para acabar el juego pongan una foto del cuadro que es la llave de los enigmas.

Vacaciones en Cambil, un «pueblo lento»

El curso ha acabado. Andrés, Juan y Rocío están sentados al pie de la estatua de Colón, a la entrada del Campo Grande de Valladolid[1] y hablan de las vacaciones. Piensan que este verano va a ser muy diferente de otros años:

—Mi madre —dice Rocío— me presiona. Todos los días me repite: «A ver si durante las vacaciones te quitas los auriculares y escuchas los sonidos de la naturaleza».

Los auriculares

[1] El Campo Grande es el parque más grande de la ciudad de Valladolid (Comunidad de Castilla y León). Es del siglo XVIII.

Cambil

—Pues mi padre —dice Juan— cuando me ve con el móvil o en el ordenador se enfada.

—Ya sabéis, nuestros padres son de otra generación —dice Andrés—. No comprenden que necesitamos hablar con los amigos continuamente.

—Bueno, pues esta es la propuesta de mi madre: pasar las vacaciones en Cambil, en casa de mis tíos. Y mi padre está de acuerdo.

—¿En dónde? —pregunta Juan.

—En Cambil.

—¿Y dónde está eso? —añade Andrés.

—Está en Jaén. Es un pueblo perdido en medio de la nada.

Y Rocío imita la voz de su madre:

—«Vas a respirar el aire limpio del campo. Vas a ver nuevos horizontes».

36 —¡Vaya programa! —dice Juan, y los dos chicos se echan a reír.
—¿Y por qué no venís conmigo y así no me aburro?
—Sí, podemos decírselo a nuestros padres, no te vamos a dejar
40 sola —contesta Andrés.
—¡Venga! ¡Nos vamos los tres a Cambil y damos vida al pueblo! —dice Juan con voz alegre.

Y los tres se ríen, felices de ser amigos.

Los padres de los chicos están muy contentos. Sus hijos van
45 a pasar las vacaciones en Cambil. Allí van a estar muy bien y piensan que no pueden hacer tonterías. Pero no están muy seguros. Los tres encuentran aventuras en todas partes.

Nada más llegar al pueblo notan algo especial.

—Aquí pasa algo raro —se dicen.
50 —Hay demasiado silencio. Es la calma antes de la tempestad.

Los tíos de Rocío reciben a los tres con mucha alegría.

—¡Qué guapa estás! —exclama la tía—. ¡Y qué mayor! Vais a ver qué bien se descansa aquí.
—¡Si no estamos cansados! —contesta Andrés.
55 —Claro, pero hay que vivir más despacio para disfrutar más. Nosotros no tenemos prisa. Ya sabéis que Cambil es un «pueblo lento».
—¿Un «pueblo lento»? —pregunta Rocío.
—Sí, nosotros y mucha gente del pueblo queremos ser del mo-

vimiento *Cittaslow*[2]. O sea, queremos vivir de modo natural, tranquilo, sin correr.
—¿Dónde diablos hemos venido? —dice en voz baja Andrés.
—Hay poca cobertura. Internet funciona mal. Eso debe de ser «el modo natural» —añade también en voz baja Rocío.

La verdad es que los chicos tienen la impresión de haber dado un paso atrás en la civilización. Les parece que el mundo se ha parado. Los vecinos, que son muy amables, no hacen ruido. No se oyen coches. De repente se oye un trote de caballos por la calle. Los tres se asoman a la ventana.

Un trote de caballos

—Aquí es que usamos mucho los caballos y la bicicleta para ir de un sitio a otro. Usamos poco el coche. También nos gusta mucho andar —explica la tía.

Los chicos están un poco aburridos. Pero cuando llega la cena están más contentos. La tortilla de patata está riquísima, los tomates y la fruta tienen más sabor que en la ciudad.

—¿Está buena la cena? —pregunta el tío—, los huevos son de gallinas de campo. Los tomates y la fruta son de nuestra huerta.

---

[2] El movimiento *slow* defiende la lentitud en la comida, el turismo y el modo de vida. Su icono es un caracol. Nació en Italia. Está por todo el mundo. En España ahora hay ocho pueblos «lentos».

—¡Ah!, comida *bio* —exclama Andrés.

—Bueno, si quieres, llámala *bio* —replica la tía—. Simple-
85 mente es natural.

—¡Jo, entonces, viva lo natural! ¡Qué rico está todo! —dice Juan comiendo con mucho apetito.

Los tíos sonríen satisfechos. Los chicos empiezan a darse cuenta de que la comida es una de las cosas buenas de los pue-
90 blos lentos.

Después de la cena, dan un paseo. Hay un silencio absoluto, solo se oye el ruido del agua del río. Como
95 hay pocas luces se ve un precioso cielo lleno de estrellas. Cuando vuelven a la casa y se acuestan, piensan que no tienen sueño, pero
100 enseguida se duermen profundamente. Sin embargo, antes del amanecer, un gran ruido los despierta.

La noche en Cambil

—¿Qué pasa, qué pasa? —grita Rocío, medio dormida, desde su habitación.

105 Juan y Andrés abren su ventana y escuchan con atención. Al fin todos comprenden. ¡Son los caballos, que empiezan muy temprano su trote por el pueblo lento!

Capítulo 2

La radio de galena

El desayuno, leche y pan con mantequilla, está tan bueno como la cena de la noche anterior. Después de desayunar salen a recorrer el pueblo. Se oyen voces y risas que vienen de la plaza. Echan a correr y Juan llega el primero.

Un mercadillo

—¡Un mercadillo, venid! —grita.
—Pues vamos a ver qué venden —dice Rocío que llega la segunda.

Cuando se acercan, les parece raro. No ven dinero. Al final comprenden: la gente no compra cosas, las intercambia.

—Mirad, esa señora ha intercambiado huevos por lechugas —dice en voz baja Rocío.
—¡Claro! En este pueblo practican «el trueque» —afirma Andrés con voz solemne.
—Lo que pasa es que nosotros no tenemos nada que «trocar» —y Juan se ríe al decirlo.
—Pues yo sí —dice Andrés—. Tengo aquí, en la mochila, unos *CD* que ya no me gustan.
—¡Vale, primo, vamos a hacer trueque nosotros también!

Una mochila

Una radio de galena

Los chicos buscan algo interesante para cambiar por sus *CD*.

—¡Anda!, ¿qué es esto, señor? —pregunta Rocío.
—Una radio de galena[1] —contesta el vendedor.
—¿Y para qué sirve? —pregunta otra vez Rocío.
—Para escuchar las ondas que están en el aire.
—¿Y cómo se escuchan? ¿Dónde se ponen las pilas?
—No necesita pilas. Mirad: esta es la antena y

Unas pilas

[1] Las radios de galena fueron muy populares a mitad del siglo XX. Ahora no se usa la piedra de galena (que es un mineral), pero se siguen llamando con este nombre.

Un cable de tierra

Bigotes de gato

Una radio de galena

este cable es para la toma de tierra. Con este hilo de cobre, que se llama «bigotes de gato», se toca la piedra de galena para buscar las ondas. Y se oye con estos auriculares. 35
—¿Lo podemos probar aquí?
—No, no, en casa lo vais a hacer tranquilamente.

Dudan un momento, pero el aparato les parece tan misterioso que lo cambian por los *CD*. Luego se van corriendo a casa para ponerlo en marcha. 40

Extienden la antena por las paredes de la habitación de Rocío. Andrés se pone los auriculares y toca la piedra de galena con «los bigotes de gato», pero no oye nada.

—¿Cómo queréis hacer funcionar una cosa sin pilas ni nada? —pregunta Juan. 45
—Pues tiene que funcionar, ¿a que sí, Andrés? El señor lo ha dicho.
—¡Ah ya! Hemos olvidado el cable de la toma de tierra.
—¡Huy, es verdad! Ponlo allí en la tierra de esa planta —le pide Rocío a Juan. 50
—¡Esto funciona, esto funciona! —dice Andrés con alegría. Se oyen ruidos, silbidos, y como una voz entrecortada.

—Déjame a mí, anda, Andrés —y Rocío se pone los auriculares. Busca con «los bigotes de gato» en varios puntos de la galena y de repente escucha una voz llorosa:

—«Por favor, por favor…».

—¡Es la voz de un niño que llora!

—¿Creéis que es una voz real? —pregunta Andrés.

—Quizás es una broma —dice Juan.

Los chicos vuelven a cambiar la antena de sitio, tocan todos los puntos de la galena… Otra vez se oye un silbido y otra vez la voz llorosa.

—«Me he caído a un pozo…».

Un pozo

Algo malo ha pasado realmente. Los tres están nerviosos. Si alguien pide ayuda, tienen que hacer algo. Durante mucho tiempo intentan recuperar la voz. Oyen cada vez más cosas, incluso música, pero ellos solo quieren encontrar la voz del niño que pide ayuda.

Están cansados y deciden hacer turnos. Cuando le toca a Juan, de repente cree reconocer la voz del niño y se pone a gritar:

—Escuchad, escuchad. Y grabad en los móviles.

— «Me… me he caído a un pozo... estoy cerca de Arbuniel… nacimiento…».

Los chicos se quedan inmóviles sin decir una palabra. Luego habla Rocío.

—¿Habéis oído lo mismo que yo? ¿Cerca de Arbuniel?
—Calla, calla y graba —añade Juan.

Se oye de nuevo un silbido y luego: 80

—«En un pozo... en... río... agua».

El nacimiento del río Arbuniel

—¡Eso está al lado! Allí empieza el río Arbuniel. ¡He visto un cartel que dice: «Nacimiento del agua»! —grita Juan. 85
—Pues vamos allí con la radio para oírlo mejor —propone Rocío.
—¿Y cómo lo liberamos? —pregunta Juan. 90
—Lo mejor es ir al cuartel de la Guardia Civil —afirma Andrés.

Y los tres se llevan la radio y van hacia allí. Cuando los guardias ven el viejo aparato y oyen a los chicos, ponen cara de escepticismo. 95

—Así que decís que un niño se ha caído en un pozo cerca del «nacimiento del agua». ¡Ya!

Los guardias hablan entre ellos. Los tres tienen la impresión de que no les creen. 100

—Tengo la grabación —dice de repente Andrés.

—¿Tienes una grabación? ¡Una grabación del niño! Pues a ver…, dánosla.

Al escuchar la voz, sus caras se ponen serias y les dicen:

105 —Muy bien, chicos, lo que habéis hecho está muy bien. Vamos a copiar la grabación y nos encargamos de todo. Vosotros, tranquilos.

Al día siguiente todo el pueblo sabe que gracias a estos chicos de Valladolid el niño está sano y salvo.

Un cuartel de la guardia civil

Un viaje por Andalucía: Córdoba, la ciudad de las tres culturas

Los tres están inquietos y aburridos después de su aventura. Los tíos les preguntan:

—¡Vaya, hombre! ¿Qué os pasa? ¿No queréis pasar unos días tranquilos contemplando el paisaje y oyendo a los pájaros?

El Ayuntamiento de Cambil

—Tíooo, aquí no hay nada que hacer...

—Tengo una idea —propone la tía—, vais a ir al Ayuntamiento, allí hay anuncios de excursiones.

—¡¿Una excursión en grupo?! ¡Qué rollo! —exclama Rocío.
—Sí, pero es una ocasión para movernos —dice Andrés.
15 —Y también podemos separarnos del grupo... —añade Juan.

La responsable de actividades culturales en el Ayuntamiento les informa. Hay un viaje muy bonito. Lo organiza la Consejería de Cultura de la Junta de Andalucía. En un plano les enseña el recorrido: van a visitar Córdoba, Sevilla y Granada.

20 —¡Qué bien! —dice Andrés—, no conocemos ninguna.

En el tablón de anuncios, Juan ha leído una noticia interesante y los llama.

—Mirad, hay un concurso durante el viaje. ¡Y es un juego de pistas por grupos!
25 —¡Guau! ¡Se llama «*Los enigmas del número 3 en al-Ándalus*»[1]! —lee Rocío.
—¡Qué chulo![2] —exclama Andrés—, hay un premio para el grupo que soluciona los enigmas.
—No está mal. Primero, porque hacemos el juego juntos y luego
30 porque vamos a ganar un premio… ¡como siempre! —dice Rocío con alegría.
—Pues ya está, nos inscribimos, viajamos y ¡viva la aventura! —exclama Juan.

---

[1] al-Ándalus es el nombre del territorio de España dominado por los árabes (siglos VIII-XV). El nombre de «Andalucía» deriva de al-Ándalus.
[2] ¡Qué chulo! = ¡Qué bueno/qué bien!, expresión coloquial juvenil.

La víspera de la salida los chicos reciben de la Junta de Andalucía un paquete. Dentro hay un maletín con muchas cosas. Rocío lo abre:

Una botellita de aceite

—¡Anda, un cuaderno con nuestros nombres!
—Tenemos que encontrar muchas respuestas —dice Andrés pasando las páginas.
—Aquí hay una botellita de aceite. Aceite para una excursión. ¡Qué raro!
—Déjalo, Rocío, vamos a seguir buscando en el maletín —dice Juan.
—¡Oye! También hay un escudo de España. ¡Y dos coronas de reyes!

Dos coronas

—Hay que hacer fotos de todo lo que encontramos —dice Andrés—. Y ponerlas en el cuaderno.
—Pero ¿cuáles son los «enigmas del número 3»? —pregunta Juan.

El escudo de España

—Pues mira:

- 3 ciudades
- 3 personajes
- 3 tumbas
- 3 frutas
- 3 religiones
- 3 culturas

—El primer enigma ya está solucionado, apunta: Córdoba, Sevilla y Granada.
—¡Huy, qué lista eres! —dice Juan en broma.
—¡Qué bien! Para cada cosa nos dan pistas. Vamos a resolver todos los enigmas —afirma Andrés con seguridad.

Esa noche no pueden dormir. Quieren empezar ya el viaje. Al fin se quedan dormidos, pero los tres sueñan con las pistas y con los enigmas.

El guía del grupo es un andaluz muy simpático. En el autobús explica lo que van a ver en Córdoba, primera etapa del viaje. Los chicos no escuchan. Están concentrados en las pistas del juego para resolver los enigmas.

—«Tres religiones» —dice Rocío—, pues tengo dos, la cristiana y la musulmana.
—«Tres civilizaciones» —sigue Juan—, yo también tengo dos y son las mismas: cristiana y árabe.
—Bueno, «tres personajes» no va a ser difícil —afirma Andrés. Hay tantos... ¿Qué pista dan?

Juan lee: *«Dos tienen una corona y el otro tiene un barco».*

Los Reyes Magos

—Pues van a ser, van a ser... ¡Sííí! —exclama Rocío—. ¡Los tres Reyes Magos! Melchor y Gaspar tienen corona y Baltasar, turbante y el barco es porque los tres viajan mucho para llevar los juguetes a los niños.[3] 80

—¿Tú crees? —dice Juan—. Esto no puede ser porque ninguno de los reyes tiene un barco y la pista dice: «*Dos tienen una corona y el otro tiene un barco*». 85

— Sí, es verdad, tienes razón, tenemos que seguir pensando —responde Rocío.

—Oye, Andrés, no hay que olvidar hacer fotos. Hay que ponerlas en el cuaderno. 90

—Por supuesto —dice Andrés—, yo soy el fotógrafo y hago las fotos.

Córdoba. La Mezquita y la Catedral dentro de ella.

—Pues —añade Rocío— yo apunto todo lo que vemos para recordarlo bien. 95

—Y yo os recuerdo en cada sitio lo que estamos buscando —concluye Juan.

Lo primero que van a ver es la Mezquita-Catedral. 100

[3] Los tres Reyes Magos —Melchor, Gaspar y Baltasar— según la tradición cristiana llevaron regalos al Niño Jesús. En España el día 6 de enero los niños esperan los regalos que les traen los Reyes Magos.

—¡Qué grande es! —se asombra Juan.
—¡Qué grandes son! Son una mezquita y una catedral, la una dentro de la otra
105 —dice Andrés.

Córdoba. La Mezquita por dentro

En el interior les encantan las columnas de mármol de la mezquita.

—Parece un bosque de palmeras de colores, ¿verdad? —dice Rocío.
110 —Hay 1300 columnas —afirma Andrés.
—¿Las has contado?
—No, gracioso, lo he leído.

Los chicos juegan a ponerse en la lí-
115 nea imaginaria que separa la catedral de la mezquita. Andrés, mientras va cruzando de un lado a otro, va diciendo:

Córdoba. Vista del barrio de la Judería

—¡Plaf! Salgo de la catedral y entro en la mezquita, ahora soy un árabe. ¡Plof!
120 Salgo de la mezquita y entro en la catedral, ahora soy un cristiano.
—Sí, sí, dos religiones, dos civilizaciones —afirma muy serio Juan.

Se quedan mucho tiempo mirándolo todo y haciendo fotos.
125 Al salir van por unas calles muy estrechas llenas de flores. Juan lee en un cartel: BARRIO DE LA JUDERÍA.

—Claro, ¡ya está! Es el barrio judío y la tercera civilización es la judía.

—Evidente, ¿cómo no lo hemos visto antes? —pregunta Rocío.

—Y la religión que nos falta también es la judía, por supuesto —afirma Andrés.

—¿Sabéis qué os digo? Pues que en el juego de pistas falta una pregunta —dice Rocío.

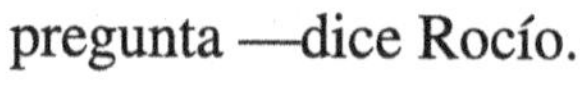

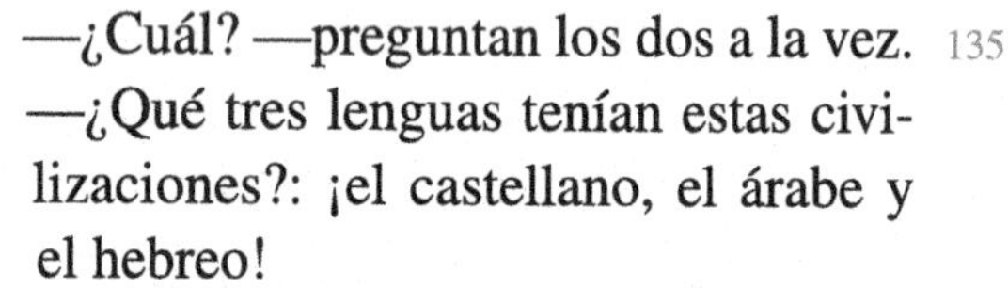

Córdoba. El filósofo y médico Maimónides

—¿Cuál? —preguntan los dos a la vez.

—¿Qué tres lenguas tenían estas civilizaciones?: ¡el castellano, el árabe y el hebreo!

—Tienes razón, pero más vale solucionar los enigmas que buscar nuevas preguntas.

—¡Mirad qué estatua hay en esta plaza! —exclama Juan.

—Es el sabio judío Maimónides, un gran filósofo y médico cordobés.

—Rocío, tú también has leído mucho, ¡eh! —bromea Andrés.

—Venga, no estamos buscando eso. Tenemos que seguir la pista de «dos coronas y un barco».

—El barco tiene que estar... debajo del Puente Romano que cruza el Guadalquivir.

—¡Anda!, a ver si lo encuentras tú, sabio, que pareces Maimónides.

—Vamos, Juan, deja en paz a Andrés. Hay que pensar en qué reyes pueden ser. ¡Hay muchos!

—Pues vamos al Alcázar de los Reyes Cristianos[4] a investigar.
—Imposible, no hay tiempo de ir al Alcázar. Es la hora de volver con el grupo —dice Andrés.

Cuando llegan al autobús, todos están esperando y el guía
160 les dice:

—¡Vaya, chicos! Parece que ustedes ya empiezan a funcionar con el espíritu *slow*, ¿no?

Los Reyes Católicos: Fernando e Isabel

Córdoba. El Puente Romano

[4] «Alcázar» es una palabra de origen árabe y significa «fortaleza». Los palacios árabes tienen este nombre, por ejemplo, los de Sevilla y Córdoba.

Capítulo 4

Camino de Sevilla

¡Qué bien sentarse en el autobús! Los chicos están agotados. Y han visto tantas cosas que no pueden recordarlo todo bien.

Córdoba. El Coro de la catedral

—Enséñanos las fotos, Andrés —pide Rocío.

—Vale, mirad esta de un arco. La he hecho tumbado en el suelo.

—Pues esta del Coro y la Capilla Mayor de la Catedral, dentro de la Mezquita, es muy bonita —dice Juan.

—Sí, y la Capilla Real es increíble —señala Rocío—, está
15 completamente decorada.
—Pero no tenemos fotos del Alcázar de los Reyes Cristianos —recuerda Juan.
—No hemos tenido tiempo
20 de ir. ¡Qué pena!, ¿verdad, Andrés?

Córdoba. La Capilla Mayor de la catedral

Andrés se ha cambiado de sitio y se ha ido al final del autocar.

—¿Adónde va? ¿Lo sabes tú, Juan?
—No sé, está hablando con la gente.

25 Y Rocío y Juan siguen mirando las fotos. Andrés vuelve muy contento.

—Nosotros aquí trabajando, y tú haciendo turismo, ¿eh, primito?
30 —¡Traigo un montón de fotos del Alcázar! Me las ha dado un señor muy simpático.
—A ver, a ver —dice
35 Rocío impaciente.

Córdoba. El Alcázar de los Reyes

Córdoba. Alcázar de los Reyes.

Andrés enseña las fotos: El Salón de los Mosaicos, las cuatro torres, los Baños Reales, el Patio Morisco, los jardines…

—Los jardines son preciosos, y esas tres estatuas, ¿de quiénes son?

—Pero, mujer, ¿no ves que son los Reyes Católicos? Y el que está enfrente de ellos es Colón. 40

—¡Huy, es verdad! Es una pena no haberlo visto.

—¿Y no había una estatua de Boabdil en el Alcázar? —pregunta de repente Juan. 45

—Pues no. Pero ¿por qué preguntas tú ahora por Boabdil? pregunta a su vez Andrés. 50

—Porque me es simpático. Fue el último rey moro, el que perdió Granada —responde Juan.

—Ya, ya, y su madre le dijo: «Llora como mujer lo que no has sabido defender como hombre»[1].

55 —¡Qué tontería! Ahora los hombres también lloran, no solo las mujeres —dice Rocío.

Juan parece no escuchar y está buscando una canción en su *smartphone*.

—Pero ¿qué estás buscando? —le pregunta Rocío.

60 —Una canción que me pusieron un día mis padres. La tenían en un disco de vinilo. Se llama «Llorando por Granada» y es de *Los Puntos*, un grupo de los años 70.

—Pues una canción de tus padres... no sé yo —dice Andrés.

—Aquí, aquí la tengo, escuchad un poco:

65 *Dicen que es verdad,*
que se oye hablar
en las noches cuando hay luna en las murallas,
alguien habla.
Nadie quiere ir,
70 *en la oscuridad,*
todos dicen que de noche está la Alhambra
embrujada[2]
por el moro de Granada.

[1] Boabdil fue el último rey de Granada. Entregó las llaves de la ciudad a los Reyes Católicos y así terminó la dominación árabe en España. Su madre, la sultana Aixa, le dijo, según la tradición, estas famosas palabras.

[2] Embrujado/a se dice de algo o alguien cuando un espíritu se ha apoderado de él.

—Muy bonita. Creo que lo que nos falta está en Granada —dice Rocío con emoción. 75
—Pues nada, a ver si en Granada nos encontramos con Boabdil, pero ahora vamos a Sevilla.
—¿Qué os parece si revisamos las pistas? —pregunta Juan leyendo: *«Dos coronas y un barco»*.
—Otra vez las dos coronas. Pasa a otra pista, por favor —pide Andrés. 80
—*«Los tres personajes se han encontrado en el mismo lugar»*.
—¡Ay, ay, ay! Pasadme las fotos del Alcázar, chicos.

Y Rocío mira una a una las fotos y les enseña la de las estatuas del jardín. 85

—¿Qué vemos aquí? —les pregunta.
—¡Ya lo hemos dicho! Isabel y Fernando[3] hablando con Colón —responde Andrés.
—¡Los tres personajes! ¡Viva Rocío! —grita Juan.

¡Yuju! Los tres gritan tan fuerte que el autobús frena bruscamente. 90

—¿Qué pasa? —grita el chófer.
—Nada, nada, que hemos encontrado «las dos coronas y el barco».

---

[3] Gran parte de la actual España viene de la unión de Isabel, reina de Castilla, con Fernando, rey de Aragón, conocidos como «Reyes Católicos». Ayudaron económicamente a Cristóbal Colón en la organización de su viaje hacia las Indias, pero Colón no descubrió las Indias sino América.

95 La gente no entiende y los mira con curiosidad. Los chicos comentan en voz baja.

—Claro, es verdad —reflexiona Andrés—, Cristóbal Colón, antes de 1492, necesita dinero para su aventura marítima y viene al Alcázar de Córdoba a pedírselo a los Reyes Católicos.
100 —Era muy difícil encontrarlo. En las pistas hablan de un «barco» y siempre decimos que Colón viajó en tres carabelas: *la Pinta, la Niña* y *la Santa María* —dice Juan.
—Ya, pero el barco era un símbolo —responde Rocío.
—Bueno, chicos, por ahora vamos a llenar el cuaderno con lo
105 que hemos encontrado.

Andrés escribe y Rocío mira por la ventanilla. De pronto exclama:

—¡Estamos llegando a Sevilla!

Las tres carabelas del viaje de Colón:
La Pinta, la Niña y la Santa María.

Sevilla, la ciudad de las maravillas

Antes de ir al hotel visitan Sevilla desde el autocar. Siguiendo el río Guadalquivir ven la Torre del Oro y la plaza de toros de la Maestranza. Luego la Isla de la Cartuja y el puente de la Exposición Universal de 1992[1]. También pasan junto al parque de atracciones de Isla Mágica y ven a lo lejos la Giralda... La gente está entusiasmada.

Sevilla. La Torre del Oro

[1] En Sevilla se celebró la Exposición Universal de 1992 sobre la Isla de la Cartuja.

—¡Qué luz tiene esta ciudad! —exclama Rocío.

—¡Y cómo huele a azahar![2] —Juan respira profundamente al decirlo.

—Sí, esta ciudad es especial —afirma Andrés—. El clima le da vida y alegría.

El azahar (la flor del naranjo)

Sevilla. La Catedral

La gente de la excursión alquila coches de caballos para ver la ciudad tranquilamente. Andrés, Juan y Rocío pasean. Luego van a la Catedral.

—Es la catedral gótica más grande del mundo y es Patrimonio de la Humanidad, con el Alcázar y el Archivo de Indias[3] —lee Andrés.

Sevilla. El Archivo de Indias

[2] El perfume del azahar, que es la blanca flor del naranjo, es muy intenso. Las ciudades productoras de naranjas, como Sevilla o Valencia, en primavera huelen a azahar.

[3] La Unesco (*United Nations Educational Scientific and Cultural Organization*) da el título de Patrimonio de la Humanidad a lugares importantes por su arte o su naturaleza. España es el segundo lugar del mundo detrás de Italia en lugares Patrimonio de la Humanidad.

Sevilla. La tumba de Colón

Juan ha visto algo y llama a sus compañeros.

—¡La tumba de Colón!... ¡la tumba de Colón!

Andrés lee en voz alta la inscripción que hay en el monumento: 35

«Cuando la isla de Cuba se emancipó de la Madre España, Sevilla obtuvo el depósito de los restos de Colón, y su ayuntamiento erigió este pedestal». 40

Sevilla. La Giralda

—Ya, pero la pista que dan es: *«Dos están en la misma tumba y el otro está enterrado en varios lugares»,* y aquí solo tenemos una tumba —dice Rocío.
—Además, no sabemos si esta tumba 45 tiene relación con nuestros personajes.
—A lo mejor hay que buscar la tumba de Boabdil.
—¡Qué pesado estás con Boabdil, Juan!
—Venga, luego vamos al Archivo de In- 50 dias que está muy cerca y lo investigamos —les tranquiliza Andrés.
—¿No tenéis ganas de subir a la Giralda[4]? —pregunta Juan.

[4] La Giralda es el campanario de la Catedral de Sevilla. La parte inferior es el alminar o minarete de la antigua mezquita; la parte superior es de época cristiana.

Allí vamos a ver toda la ciudad.

55 Y los tres suben los 100 metros del campanario. No hay escaleras, sino 35 rampas.

—Está bien —dice Rocío—. Así los caballos podían subir
60 por las rampas.

Sevilla. El barrio de Santa Cruz

Desde arriba las vistas de Sevilla son espectaculares. Al pie de la Giralda se ve el Barrio de Santa Cruz, muy blanco, los Jardines del Alcázar y el
65 Patio de los Naranjos.

—¡Hmmm!, los naranjos, el azahar. ¡Qué ricas las naranjas! —a Juan se le hace la boca agua.
—¡Qué tontos somos! Las naranjas son… ¡el
70 fruto típico de Sevilla! —exclama Andrés.
—Y entonces, en Córdoba... —dice pensativa Rocío.
75 —¡Atención, pista! En el maletín había un frasco de aceite —dice Juan.
—Oye, el aceite no es un fruto —habla Rocío.

Sevilla. Catedral. El Patio de los Naranjos

Un campo de olivos u olivar

—El aceite sale de las aceitunas[5]. Las aceitunas están en los olivos. En Jaén y en Córdoba hay muchos olivos —Juan habla como un profesor.

—¡Bien!, ya tenemos dos frutos: la aceituna y la naranja. Al llegar a Granada vamos al mercado y vamos a encontrar el fruto que nos falta.

Hace calor. Se sientan al pie de los naranjos y descansan un poco. Cuando salen del Patio de los Naranjos van al Archivo de Indias. Está cerrado. ¡Adiós a sus investigaciones!

Aceitunas

Esa noche el grupo cena en el Barrio de Santa Cruz. Primero recorren el laberinto de sus calles estrechas. Rocío mira con interés en las tiendas los trajes de sevillana.

—¿Vas a estar todavía más guapa con un traje de sevillana? —le dice Juan con una sonrisa.

Un traje de sevillana

[5] «Aceite» y «aceituna» son palabras árabes. Pero el nombre del árbol es «olivo». «Olivas» es sinónimo de «aceitunas» en diferentes partes de España.

—Es que quiero aprender a
105 bailar sevillanas —responde Rocío, y Juan y Andrés se echan a reír.

Una cena en un patio lleno de flores

La cena es en un patio lleno de flores. Escuchan
110 cantar flamenco y luego lo ven bailar. Todos aplauden y están muy contentos.

—Yo no quiero marcharme de aquí —dice Rocío—, soy muy feliz en Sevilla.
115 —Vamos a volver en la Feria de Abril[6]. Nosotros vamos a ir muy elegantes con un pantalón negro, una camisa blanca, un chaleco y un sombrero cordobés.
Tú —sigue Juan— con un traje de sevillana. O, si
120 vamos a caballo, con uno de amazona.

Y los tres no paran de reír imaginando la escena por el Real de la Feria.

Sevilla. La Feria de Abril

[6] La Feria de Abril es la fiesta más popular y alegre de Sevilla. Dura una semana. Se celebra en el Real de la Feria en donde hay casetas, se canta, se baila, se come, se pasea a caballo. Los asistentes visten los trajes típicos. También hay corridas de toros.

Camino de Granada

Cuando el autocar sale de Sevilla, la gente se pone a cantar *Macarena*[1]. La noche anterior bailaron esta canción en el Barrio de Santa Cruz.

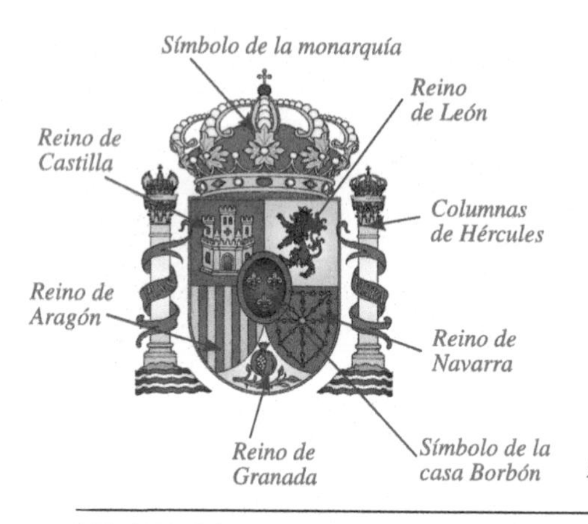

Los chicos están un poco preocupados. Solo les queda una etapa y tienen todavía enigmas por resolver. Juan está jugando con el escudo de España.

Descripción del escudo de España

[1] En 1993 el dúo español «Los del Río» hicieron popular la canción llamada *Macarena*. El mundo entero la ha cantado y bailado.

—Este escudo debe de servir para algo. Vamos a estudiarlo.

Ven los diferentes reinos: Castilla, León, Aragón, Navarra, Granada. Y a los lados del escudo, las dos columnas de Hércules con la leyenda *PLVS VLTRA*.[2]

15 —Sí, sí, ya sabemos gracias a Colón que había tierra «más allá».

Andrés de pronto dice con voz de misterio:

—Fijaos bien: en Castilla hay un castillo; en León, un león, y ¿en Granada...?
20 —¿De qué color es el caballo blanco de Santiago? —pregunta Juan riéndose.
—¡Lo teníamos delante de los ojos! ¡El tercer fruto es la granada!

Los tres están muy contentos y se
25 ponen a cantar *Granada, tierra soñada por mí.* Todo el mundo canta con ellos. El guía está feliz con unos chicos tan simpáticos.

Una granada

Andrés y Rocío se han dormido.

---

[2] Según la mitología, el héroe Hércules colocó una columna en España y otra en África justo en el estrecho de Gibraltar. Estas columnas están representadas a cada lado del escudo de España. En ellas estaba escrito *NON PLVS VLTRA* («no más allá») porque se creía que el mundo acababa allí. Ahora, desde que Colón descubrió América, ya no está «*NON*», porque sabemos que hay tierra más allá de Gibraltar, al otro lado del océano.

Un pueblo blanco andaluz

Juan sigue pensando en los enigmas. A lo lejos se ven pueblos con casas muy blancas. 30

—¿Son estos «los pueblos blancos»? —le pregunta la señora de al lado a Juan. 35
—No, señora. Esos están en Cádiz y Málaga. Pero en Andalucía todo es blanco.

La señora le da las gracias y sigue leyendo un libro. Juan piensa en voz alta. 40

—Ya tenemos resuelto el enigma de las civilizaciones, de las religiones, de los frutos, el de los personajes... Solo queda el problema de las tumbas y…
—¿Y qué más? —dice Rocío medio dormida. 45
—Pues nada, guapa[3], que no hemos leído bien todo. Despierta y te cuento.
—A ver, guapo, di.
—*«Para acabar el juego pongan una foto del cuadro que es la llave de los enigmas»*. 50

Andrés se despierta bruscamente, mira el cuaderno y confirma:

[3] Las fórmulas de tratamiento entre jóvenes son muy variadas. Es normal llamarse uno a otro «guapo/guapa», «tío/tía», etc.

—¡Es verdad! Un cuadro… una llave… los enigmas.

—¡Resolvemos un enigma y parece que sale otro! —dice Rocío con desesperación.

—Pues ya sabéis, si no resolvemos todos, adiós al premio.

—No lo vamos a acabar nunca —afirma Andrés.

Rocío cierra los ojos, junta las manos, y en forma de oración, reza:

Una llave

—¡Espíritus inmortales, sin vuestra ayuda estamos perdidos!

—¡Vale, a ver si nos ayudan tus espíritus inmortales! —dice Juan.

—Si no ganamos, ¡qué se le va a hacer! —reflexiona Andrés—, por lo menos hemos hecho el viaje y lo hemos pasado genial.

La señora de al lado los mira sonriente y cierra el libro que está leyendo: *Las lágrimas de Boabdil*.

Fin del viaje: Granada, la clave de los enigmas

Ya están en Granada, la última ciudad del viaje. Van a visitar la Alhambra[1]. Han oído hablar mucho de ella y la han visto en muchas fotos. Les parece que van a visitar un lugar único en el mundo. La vista de la Alhambra los fascina.

—Es verdad que es de color rojo, como dice su nombre en árabe —afirma Andrés.

[1] La Alhambra fue el primer lugar de España nombrado Patrimonio de la Humanidad. Son unas fortalezas, palacios y patios que nos indican la riqueza de la España árabe. El Generalife es un conjunto de palacios de descanso y jardines que está fuera de las murallas de la Alhambra.

—Es muchas cosas a la vez, un castillo, una fortaleza… un palacio. Y estos jardines son de cuento, ¿no os parece? —pregunta Rocío.

—Se dice «¡Quien no ha visto Sevilla, no ha visto maravilla!», pero yo digo: «¡Quien no ha visto Granada, no ha visto nada!».

—Deja la poesía, Juan, y mirad atrás —dice Andrés—, mirad Sierra Nevada[2].

—¡Qué preciosa y qué blanca! —dice Juan—. Granada, sol y nieve. Aquí lo tienen todo, porque también tienen unas playas estupendas.

Empiezan la visita de la Alhambra por el Patio de los Leones. Les impresionan las 124 columnas que lo rodean y la fuente de los 12 leones en el centro.

—¿Qué representan los 12 leones? No me acuerdo —pregunta Rocío.

—Hay varias interpretaciones —responde Andrés—. Los 12 signos del Zodíaco, y no sé qué más.

Granada. La Alhambra. El Patio de los Leones

2 Sierra Nevada tiene el monte más alto de la península ibérica, el Mulhacén, de 3478 m.

—Mira, yo quiero quedarme aquí encerrada esta noche, y vivir en el pasado.
—No, lo que te pasa es que quieres oír y ver el rey moro que «sale por la noche paseando su amargura por perder un día Granada» —Juan susurra la canción de *Llorando por Granada*. 35
—Vamos a descansar un poco y luego seguimos —pide Rocío.

Granada. Los Jardines del Generalife

Se sientan en el suelo y sueñan despiertos unos minutos. Luego visitan los Jardines del Generalife y se paran de vez en cuando para hacer fotos. 40

Al salir de la Alhambra, ven a unas mujeres que quieren decirles la buenaventura. Una de ellas le coge una mano a Rocío y le habla. Juan y Andrés, unos pasos atrás, observan con curiosidad la escena. 45

Cuando la mujer se calla, cierra la mano de Rocío. Los chicos se acercan y le preguntan qué le ha dicho. Rocío no consigue hablar y sigue con la mano cerrada. 50

—Vamos, cuenta…, pero cuéntanos —le pide Juan.
—No sé, era algo muy fuerte, muy especial…, no estoy muy segura de haberlo comprendido.
—Sí, pero ¿qué te ha dicho? —le pregunta.
—Me ha dicho que voy a ser muy feliz… y me ha dicho también: «Te doy la llave de España». 55
—¡La llave de España!

—Todo eso es un cuento —dice Andrés—. ¿A que te ha pedido dinero?
—No me ha pedido nada. Me ha dado este papel —contesta Rocío abriendo la mano.

Y con la otra mano abre el papel. Tiene un dibujo. Los chicos exclaman a la vez:

—¡Una llave!
—Sí, es verdad, una llave antigua —dice Rocío.
—¿Una llave de qué? —pregunta Andrés.
—Pues... ¡más difícil todavía!, como dicen en el circo —bromea Juan—, será la de España.
—¡Ya tenemos otro enigma! Y este es más complicado que los del juego de pistas.

Los tres salen de la Alhambra pensativos y tratando de saber lo que quería decir la mujer de la buenaventura.

—La culpa la tienes tú, Rocío, que has pedido ayuda a los espíritus. Te han escuchado y ahora nos han complicado la solución —bromea Andrés.
—¡Al contrario! Esta mujer nos ha dado la solución.
—¿Por qué dices eso, Juan? ¿Qué decía la pista que nos dan en el juego?
—Vaaale: *«Para concluir el juego pongan una foto del cuadro que es la llave de los enigmas»*.
—En resumen, ¿tenemos que buscar una llave que abre la puerta de España?, ¿o tenemos que buscar un cuadro que es la llave de los enigmas?

Granada. La bóveda de la Catedral

—Por favor, vamos a descansar —propone Rocío—. Estamos pensando tanto que ya me duele la cabeza y no entiendo nada. 85

—¡Stop! —dice Andrés—, esta tarde seguro que vamos a tener una idea luminosa. 90

—Sí, podemos visitar la Catedral, que está cerca del hotel, a ver si encontramos algo.

—Y esta vez no nos saltamos nada, como pasó en Córdoba —advierte Juan. 95

Granada. El retablo de la Capilla Real

Cuando entran en la catedral, Rocío tiene un presentimiento.

—Siento —dice— que algo muy positivo nos va pasar. 100

—Sí, seguro que nos vamos a encontrar a otra mujer y te va a dar otra llave —bromea Juan.

Miran las columnas, la bóveda, los retablos, pero sin prestar mucha atención. 105

—¿Dónde está Andrés?

—Pues no sé, está por ahí.

Juan y Rocío van hacia la Capilla Real y llegan a una sala

Granada. Catedral. Sala de la Lonja

La rendición de Granada, *por Francisco Pradilla*

que se llama La Lonja. Allí está Andrés totalmente concentrado mirando un cuadro. Se acercan a él y le oyen decir:

—¡Pero si este cuadro de la rendición de Granada es muy famoso! El original está en Madrid.

Los tres lo miran despacio, observan a los personajes y Andrés comenta:

—Mirad, el lado derecho es más grande, tiene más luz. Ahí están los Reyes Católicos. La reina Isabel va en un caballo blanco. El rey Fernando, en uno marrón.
—La parte izquierda es más oscura. De negro y en un caballo negro, está Boabdil, el rey moro. Se rinde y entrega la ciudad a los Reyes Católicos —afirma Juan muy serio.

—¡Por favor, mirad lo que lleva Boabdil en la mano derecha! —exclama Rocío.
—¡Una llave! ¡La llave de la ciudad de Granada! ¡Es tu llave, Rocío! —exclama Andrés. 125

Los chicos dan saltos de alegría y se abrazan. Los vigilantes les llaman la atención y se ponen a hablar más bajito.

—¡Haz fotos! ¡Haz fotos! —pide Rocío.
—Con lo fácil que era y no lo hemos pensado antes —dice Andrés. 130
—Y eso que la mujer lo dijo: teníamos que buscar la llave que abre España.
—¡Qué tontos somos! Pero, bueno, ya está. Hemos ganado el premio —afirma Juan.
—¡Para, para! ¿Os habéis olvidado de las tumbas? —pregunta 135 Rocío y otra vez se ponen serios.
—¡Esto no se acaba nunca! —Andrés está desesperado.
—Yo he visto al entrar un cartel que decía «tumba de los Reyes Católicos».
—¿Y ahora lo dices, 140 primito?

Granada. Catedral. Las tumbas de los Reyes Católicos y de su hija, Juana la Loca y Felipe el Hermoso

Echan a andar a toda prisa hacia las tumbas. Cuando llegan, se quedan inmóviles. Hay 145 dos tumbas, sí. ¡Pero en cada tumba hay dos personas! —Juan lee.

—En una están Isabel y Fernando, los Reyes Católicos. En la
150 otra, su hija Juana y su marido.
—Entonces, la importante es la de Isabel y Fernando, seguro
—afirma Rocío.
—Y la pista era buena —recuerda Andrés—, «*dos personajes en la misma tumba*».

155 Hacen fotos de la tumba desde todos los ángulos y salen de la Capilla Real en silencio. Están emocionados y alegres. Pero Rocío les hace volver a la realidad.

—¿Y la tercera persona que está enterrada en varios sitios?
—Eso no tiene solución. Es una pregunta que no tiene respuesta.
160 Así nadie gana y no dan el premio —afirma Andrés muy seguro.
—¡Venga, primo, hasta ahora hemos tenido suerte! ¿O no?
—Sí, tú lo has dicho, «hasta ahora» —insiste Andrés.

Para disimular su decepción, beben agua pasándose la botella en completo silencio. Rocío quiere animarlos y dice:

165 —No vamos a rendirnos en Granada, ¡como Boabdil!, ¿verdad, Juan?

Y los tres se miran con una sonrisa pensativa mientras cada uno busca una solución. Al rato, Juan habla mientras dibuja en su cuaderno de notas un triángulo.

170 —Bueno, vamos a recapitular. Hemos visitado el triángulo de oro andaluz: Córdoba, Sevilla y Granada. Y en este triángulo está el número 3.

A continuación indica en cada ángulo los tres personajes, las tres civilizaciones, los tres frutos. Y duda al poner las tres personas enterradas en sus tumbas.

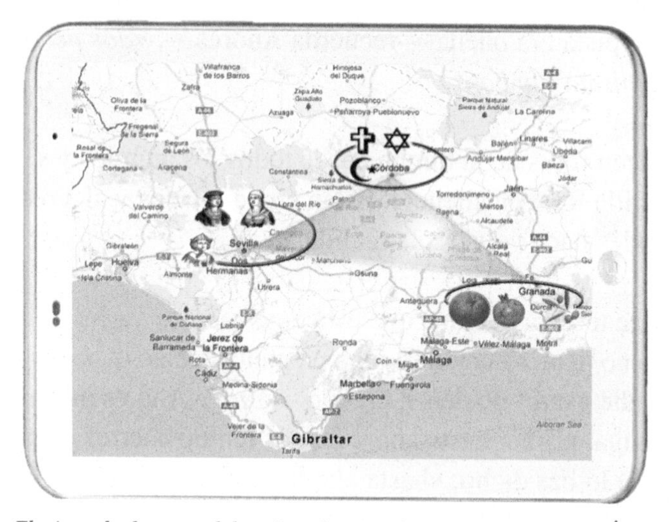

El triangulo de oro andaluz . La solución a los enigmas del 3 en al-Ándalus: tres ciudades, tres civilizaciones, tres frutos y tres personajes.

—Lo de los Reyes Católicos es seguro. ¿Y la persona con sus restos en varios sitios?

—Perdona, Juan, si eliminamos a Boabdil vamos a empezar por lo más fácil: Colón.

—Vale, Andrés, empezamos el viaje en la estatua de Colón en Valladolid y lo acabamos en...

—¡Ahora me acuerdo de todo! Nos lo contó una vez tu padre, Juan[3]. Colón murió en Valladolid y lo enterraron allí; luego lo

[3] «Aventuras para 3», *En busca del ámbar azul.* Los chicos visitan la isla de la República Dominicana y allí conocen la historia de los restos de Colón.

trasladaron a la Cartuja de Sevilla; después a América, a la Catedral de Santo Domingo; después a la de La Habana y por fin a la Catedral de Sevilla. Por eso varios sitios dicen que tienen los restos de Colón —Rocío lo cuenta todo rápidamente, como recitando una lección aprendida.

—¡Qué memoria, tía! —y Juan le da un beso en una mano.

—¡Eres un genio, hija!— y Andrés le da un beso en la otra.

Ya están tranquilos y felices. Han resuelto los enigmas del número 3 en al-Ándalus. El juego tiene su lógica. ¡Qué fácil parecen los enigmas ahora que ya saben las soluciones[4]!

[4] El año 1492 fue muy importante para España. Al principio, el 2 de enero, Boabdil entrega a los Reyes Católicos las llaves de Granada como símbolo de rendición. Así termina la ocupación árabe en España. Al final, el 12 de octubre, Cristóbal Colón llega a América gracias a la ayuda de los Reyes Católicos.

Capítulo 8

El premio

Vuelven al hotel, acaban de rellenar el cuaderno y ponen las fotos.

—¿No falta nada, Juan?
—No, Andrés, claro que no falta nada.
—Yo también lo he revisado —dice Rocío.

Salen corriendo y entregan el cuaderno en la Oficina de Turismo. Antes han besado el sobre diciendo: «¡Suerte!».

—Tengo la impresión de que hemos olvidado algo.
—¡Qué pesimista estás, Juan! —le dice Andrés.

—¡Ganadores, ganadores, ohé, ohé, ohé! —canta Rocío.

—Vale, entonces vamos a tomar un helado para celebrarlo —dice Juan.

—Y damos un paseo por la Gran Vía de Colón y por la calle Reyes Católicos para estar en nuestro ambiente —bromea Andrés.

Granada. Plaza de Isabel la Católica. Monumento de Isabel la Católica con Cristóbal Colón

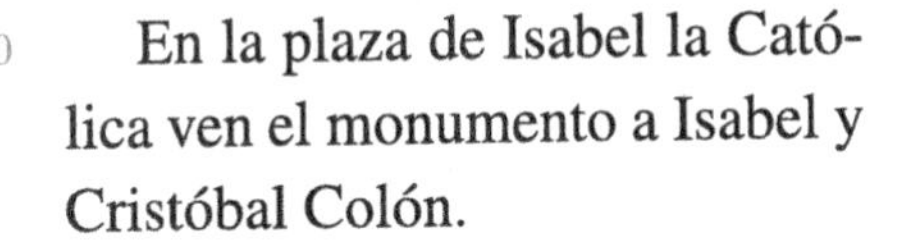

En la plaza de Isabel la Católica ven el monumento a Isabel y Cristóbal Colón.

—Es preciosa esta estatua —dice Andrés.

—Colón presenta a la Reina Católica su plan de viaje a las Indias y...

Juan, nervioso, interrumpe a Rocío y grita:

—¡Horror! Nos hemos equivocado, nos hemos equivocado.

—¿Quééé? ¿En qué nos hemos equivocado? —pregunta Rocío.

—En que esta es la foto que teníamos que enviar y no la del Alcázar de Córdoba.

Hay un momento de duda. Pero enseguida Andrés corrige.

—No, no, tranquilos, aquí el encuentro es solo con Isabel y no con Fernando.

Granada. El barrio de Sacromonte

Y los tres suspiran satisfechos y piensan en la fiesta de la noche. El grupo va a acabar el viaje cenando, cantando y bailando en el Sacromonte[1].

Antes de volver a Valladolid, pasan los últimos días de vacaciones en Cambil. Después de su aventura les gusta estar en el pueblo lento.

—¡Qué bonito caracol has dibujado, Juan!
—A ti te parece bien todo lo que hace este, pero sí, has dibujado muy bien el lema del movimiento *slow*.
—La respuesta del concurso tarda, así es que debe de traerla el caracol —dice Juan riéndose.
—Si no contestan, es que no hemos ganado.
—Ni hablar, Andrés. Tienen que contestar —afirma Rocío con seguridad.
—Yo prefiero ganar un crucero por las Islas Baleares.
—En ese caso, un crucero por islas de Hispanoamérica —propone Rocío.
—¡Buah, un crucero, qué aburrido! Yo prefiero algo más misterioso. Por ejemplo, descubrir los castillos de España. Segura-

cittaslow

El caracol, símbolo del movimiento slow

[1] El Sacromonte es un barrio muy típico de Granada. En él hay muchos gitanos que tienen sus casas-cuevas. Todas las noches las «cuevas» se llenan de turistas que van a oír cantar y a ver bailar flamenco.

mente tienen tesoros escondidos.
—Vale, Juan, igual el premio es un libro que habla de castillos.
—Hombre, Andrés, no puede ser solo un libro.

Un crucero

Un sobre

Y en ese momento, en medio de las risas de los tres, llega el cartero y les entrega un sobre con el sello de la Junta de Andalucía.

Un castillo

Lo abren muy despacio y Rocío lee en voz alta con los ojos muy abiertos:

—*Habéis...*
—Habéis hecho una bonita excursión —bromea Juan.
—Habéis hecho unas fotos muy bonitas.
—¡Tontos! *Habéis.... ¡ganado el concurso!...* —exclama Rocío.

Los tres se abrazan y dan saltos de alegría.

—Esperad, no he terminado de leer: *El premio es... un viaje para seguir el camino de la lengua castellana por las tierras de Castilla*[2].

---

[2] *Castilla* es una región de España que significa «tierra de castillos». Es el lugar donde nació el castellano, llamado también *español*.

—¡Vamos a encontrar tesoros en castillos! ¡Bien, bien, bien, bien, bien! —canta Juan.
—Y seguro que vamos a tener que resolver muchos misterios, que es lo que nos gusta —afirma Andrés con solemnidad.

E LA LENGUA CASTELLANA
Euskadi
País Vasco
Navarra
La Rioja
Millán de la Cogolla
Cataluña
MONASTERIOS DE SAN MILLÁN DE SUSO Y DE YUSO PATRIMONIO CULTURAL DE LA HUMANIDAD
UNESCO
Aragón
AQUÍ VIVIÓ CERVANTES
calá de Henares
Madrid
Com. Valenciana
Castilla-La Mancha
Murcia
Andalucía
¡Vive aventuras!
Descubre el camino de la lengua española con
Español Lengua Extranjera
A
Colección AVENTURAS 3
El robo del manuscrito
edelsa
9

GLOSARIO

Español	Alemán	Francés	Inglés
A			
abierto/a	geöffnet	ouvert	open
abrazar	umarmen	embrasser, enlacer	to hug
aburrido/a (estar)	etw satthaben	s'ennuyer	get bored
acabar	beenden	terminer	to end
acercarse	sich nähern	s'approcher	to come closer
acostarse	ins Bett gehen	se coucher	to go to bed
advertir	warnen	prévenir	to advise, to warn
agotado/a	erschöpft	fatigué, épuisé	exhausted
ahora	jetzt	maintenant	now
alegre	lustig, froh	joyeux	happy
alegría (la)	Freude	joie	happiness
algo	etwas	quelque chose	something
alguien	jemand	quelqu'un	someone
alquilar	vermieten	louer	to rent
alto/a	hoch, groß	haut, grand	tall, high
amanecer (el)	dämmern	lever du jour	to rise sunrise
amargura (la)	Betrübnis	amertume	sadness, bitterness
amazona (la)	Reitkostüm	amazone	horsewoman
ambiente (el)	Atmosphäre	ambiance	atmosphere, environment
andar	zu Fuß gehen	marcher	to walk
ángulo (el)	Ecke	angle	angle
animarse	sich beleben	motiver	to cheer up
anterior (el)	zuvor	antérieur	previous
anuncio (el)	Bekanntgabe	annonce	announcement
añadir	hinzufügen	ajouter	to add
aparato (el)	Gerät	appareil	equipment

aplaudir	applaudieren	applaudir	to applaud
apuntar	notieren	prendre des notes	to take a note
arco (el)	Bogen	arc	arch
arriba	oben	haut (d'en)	from the top
asomarse	hinausstrecken	se pencher	to look out
asombrarse	erstaunt sein	s'étonner	to be amazed
atracciones (parque de)	Vergnügungspark	parc d'attractions	theme park
atrás	hinten	derrière	behind
ayudar	helfen	aider	to help
ayuntamiento (el)	Rathaus	mairie	town/city hall
azahar (el)	Orangenblüte	fleur d'oranger	orange blossom

B

bailar	tanzen	danser	to dance
baño (el)	Bad	bain	bath
barrio (el)	Stadtviertel	quartier	neighbourhood
besar	küssen	embrasser	to kiss
beso (el)	Kuss	baiser	kiss
bigotes	Schnurrhaare	moustache	moustache
boca	Mund	bouche	mouth
bosque	Wald	forêt	forest, wood
broma (la)	Scherz	blague	joke
bromear	scherzen	plaisanter	to joke
brusco/a	plötzlich	brusque	sharp
buenaventura (la)	Wahrsagung	bonne-aventure (dire la)	fortune
buscar	suchen	chercher	to look for

C

caballo (el)	Pferd	cheval	horse
cabeza (la)	Kopf	tête	head
cable (el)	Kabel	cable	cable
cada	jeder	chaque	every, each
calma (la)	Ruhe	calme	calm
calor (el)	Wärme	chaleur	heat
callarse	schweigen	se taire	to shut up
cambiar	sich wandeln	changer	to change
camisa (la)	(Ober)hemd	chemise	shirt
campanario (el)	Glockenturm	clocher	bell tower
campo (el)	Land, Feld	campagne	country

cansado/a	müde	fatigué	tired
capilla (la)	Kapelle	chapelle	chapel
cara (la)	Gesicht	visage	face
caracol (el)	Schnecke	escargot	snail
cartel	Plakat	affiche	poster
cartero (el)	Postbote	facteur	postman
castillo (el)	Schloss	château	castle
celebrar	feiern	fêter	to celebrate
cena (la)	Abendmahlzeit	dîner	diner
centro (el)	Mitte	centre	center
cerca	in der Nähe	près	next, close
cerrar	schließen	fermer	to close
cielo (el)	Himmel	ciel	sky
circo (el)	Zirkus	cirque	circus
ciudad (la)	Stadt	ville	town
cobertura (la)	(Netz)abdeckung	réseau	coverage, signal
coche (el)	Auto	voiture	car
coger	nehmen	prendre	to take
columna (la)	Säule	colonne	column
comentar	erläutern	commenter	to comment
comida (la)	Essen	repas, aliment	food, meal
complicado/a	kompliziert	compliqué	complicated
comprar	kaufen	acheter	to buy
concentrarse	sich konzentrieren	se concentrer	to concentrate
concluir	beenden	conclure	to conclude
concurso (el)	Ausschreibung	concours	competition
confirmar	bestätigen	confirmer	to confirm
contemplar	betrachten	contempler	to look at
contestar	antworten	répondre	to reply
contar	erzählen	raconter	to tell
contrario (al...)	Gegenteil	contraire	opposite
copiar	kopieren	copier	to copy
corregir	korrigieren	corriger	to correct
correr	laufen	courir	to run
crucero (el)	Kreuzfahrt	croisière	cruise
cruzar	durchkreuzen	traverser	to cross
cuadro (el)	Gemälde	cadre, peinture	painting
cuartel (el)	Hauptquartier	caserne	quarters
culpa (la)	Schuld	faute	fault

curiosidad (la)	Neugierde	curiosité	curiosity
chaleco (el)	Weste	gilet	vest
chófer (el)	Chauffeur	chauffeur	driver

D

decepción (la)	Enttäuschung	déception	disappointment
decidir	entscheiden	décider	to decide
decorar	dekorieren, schmücken	décorer	to decorate
defender	verteidigen	défendre	to defend
dejar	lassen	laisser	to let
delante	vorn	devant	in front of
demasiado	zu viel	trop	too
dentro	innen	dans, dedans	inside, in
depósito (el)	Aufbewahrung	dépôt	deposit
derecho/a	rechts	droit	right
descansar	sich erholen	se reposer	to rest
descubrir	aufdecken	découvrir	to discover
desesperación (la)	Verzweiflung	desespoir	despair
despacio	langsam	lentement	slowly
despertarse	aufwachen	se réveiller	to wake up
dibujar	zeichnen	dessiner	to draw
dibujo (el)	Zeichnung	dessin	drawing
dinero (el)	Geld	argent	money
disfrutar	genießen	jouir, profiter	to enjoy
disimular	verbergen	dissimuler	to conceal
duda (la)	Zweifel	doute	doubt
durante	während	pendant	during
doler	schmerzen	avoir mal à	to hurt

E

eliminar	beheben	éliminer	to eliminate
embargo (sin...)	jedoch	cependant	nevertheless
emoción (la)	Aufregung	émotion	emotion
encerrar	einschließen	enfermer	to lock up
encontrar	finden	trouver	to find
enfadado/a	böse, verägert	fâché	angry
enigma (el)	Rätsel	énigme	enigma
enseñar	zeigen	montrer	to show
entender	verstehen	comprendre	to understand

enterrado/a	begraben	enterré	buried
entonces	damals	alors, donc	then, so
entrada (la)	Eingang	entrée	entrance
entre	zwischen	entre	between
entrecortado/a	stockend	entrecoupé	faltering
entregar	abgeben	remettre	to deliver
entusiasmo (el)	Begeisterung	enthousiasme	enthusiasm
enviar	senden	envoyer	to send
equivocarse	sich täuschen	se tromper	to make a mistake
escaleras (las)	Treppe	escaliers	stairs
escena (la)	Bühne	scène	scene
escepticismo (el)	Skeptizismus	scepticisme	scepticism
esconder	verstecken	cacher	to hide
escudo (el)	Wappen	blason	badge, emblem
espectacular	spektakulär	spectaculaire	spectacular
esperar	warten	attendre	to await
espíritu (el)	Geist, Seele	esprit	spirit
estatua (la)	Statue	statue	statue
estrella (la)	Stern	étoile	star
estupendo/a	toll	magnifique, super	awesome
etapa (la)	Abschnitt	étape	stage
excursión (la)	Ausflug	excursion	excursion
extender	strecken	déployer (l'antenne)	to spread out

F

fácil	einfach	facile	easy
faltar	fehlen	manquer	to lack
famoso/a	verühmt	célèbre	famous
fascinar	faszinieren	fasciner	to fascinate
felices (feliz)	glücklich	heureux	happy
fiesta (la)	Fest	fête	party
fijarse	merken	faire attention	to pay attention
flor (la)	Blume	fleur	flower
fortaleza (la)	Festung	forteresse	fortress
frasco (el)	Flasche	flacon	jar
frenar	stoppen	freiner	to stop
fruta (la)	Obst	fruit	fruit
fuente (la)	Quelle	fontaine	spring
fuerte	mächtig	fort	strong

funcionar	funktionieren	fonctionner	to function, to work

G

gallina (la)	Henne	poule	hen
ganar	gewinnen	gagner	to win
ganas (tener…)	schmachten	avoir envie de	to feel like
gato (el)	Katze	chat	cat
genio (el)	Genie	Génie	genius
gente (la)	Leute	gens	people
grabar	gravieren	enregistrer	to record
gracioso/a	witzig	gracieux, drôle	amusing
gritar	schreien, rufen	crier	to shout
guía (el)	Fremdenführer	guide	guide

H

habitación (la)	Zimmer	chambre	room
hacia	gegen, nach	vers	towards
hasta	bis	jusque	until
hebreo/a	hebräisch	hébreu	hebrew
helado (el)	Eiscreme	glace	ice cream
hilo (el de cobre)	kupferdraht	fil de cuivre	wire
horror	Abscheulichkeit	horreur	horror
huele (oler)	riecht (riechen)	sent (sentir)	smells (to smell)
huerta (la)	Gemüsegarten	jardin potager	vegetable garden
huevo (el)	Ei	oeuf	egg

I

igual	gleich	pareil	identical, same
imaginario/a	imaginär	imaginaire	imaginary
imitar	nachmachen	imiter	to imitate
impaciente	ungeduldig	impatient	impatient
importante	wichtig	important	important
impresión (la)	Eindruck	impression	impression
incluso	sogar	même, inclus	even
increíble	unglaublich	incroyable	incredible
inmortal	unsterbilch	immortel	immortal
inmóvil	bewegungslos	immobile	immobile
inquieto/a	unruhig	inquiet	worried
inscribirse	sich anmelden	s'inscrire	to sign up

inscripción (la)	Anmeldung	inscription	registration
insistir	bestehen	insister	to insist
intentar	versuchen	essayer	to try
intercambiar	austauschen	échanger	to exchange
interior (el)	innere (r,s)	intérieur	interior
interrumpir	ins Wort fallen	interrompre	to interrupt
investigación (la)	Forschung	recherche	investigation
investigar	forschen, untersuchen	faire de la recherche	to investigate
isla (la)	Insel	île	island
izquierda	links	gauche	left

J

judío/a	jüdisch	juif	jew
juego (el)	Spiel	jeu	game
juguete (el)	spielen	jouet	to play
juntos	zusammen	ensemble	together

L

lágrimas (las)	Träne	larmes	tear
leche (la)	Milch	lait	milk
lechuga (la)	Kopfsalat	laitue	lettuce
lejos	weit	loin	far (away)
lema (el)	Devise	devise	motto
lento/a	langsam	lent	slow
leyenda (la)	Legende	légende	legend
liberar	befreien	libérer	to free
limpio/a	rein	propre	clean
línea (la)	Reihe	ligne	line
luces (las)	Licht	lumière	light
luego	nachher	ensuite, après	then
lugar	Ort	lieu	place
luminoso/a	hell	lumineux	shining
luz (la)	Licht	lumière	light
llave (la)	Schlüssel	clé	key
llenar	ausfüllen	remplir	to fill
llevar	tragen	porter	to take, to carry
llorar	weinen	pleurer	to cry
lloroso/a	weinerlich	larmoyant	tearful

M

maletín (el)	Handkoffer	petite valise	briefcase
malo/a	schlecht	méchant, mauvais	bad
mano (la)	Hand	main	hand
mantequilla (la)	Butter	beurre	butter
maravilla (la)	Wunder	merveille	wonder
marcharse	weggehen	partir	to leave
marido (el)	Ehegatte, Mann	mari/époux	husband
marítimo/a	maritim	maritime	maritime
mármol (el)	Marmor	marbre	marble
médico (el)	Arzt	médecin	doctor
medio	halb	milieu	middle
mejor	besser	meilleur, mieux	better
memoria (la)	Erinnerung	mémoire	memory
mercadillo (el)	Straßenmarkt	marché ambulant	street market
mercado (el)	Markt	marché	market
mezquita (la)	Moschee	mosquée	mosque
mientras	während	tandis que	while
mirar	ansehen, hinaussehen	regarder	to look at
misterioso/a	geheimnisvoll	mystérieux	mysterious
monumento (el)	Denkmal	monument	monument
morir	sterben	mourir	to die
morisco/a	Morisken	mauresque	moorish
moro/a	maurisch	maure	moor
mosaico (el)	Mosaik	mosaïque	tile
mover	bewegen	bouger	to move
móvil (el teléfono…)	Handy	portable	mobile phone
mundo (el)	Welt, Erde	monde, terre	earth, world

N

nacimiento (el)	Anfang, Geburt	source, naissance	source, birth
nada	nichts	rien	nothing
nadie	niemand	personne	no one
naranja (la)	Orange	orange	orange
naturaleza (la)	Natur	nature	nature
necesitar	brauchen	avoir besoin de	to need
nervioso/a	nervös	nerveux	nervous
nieve (la)	Schnee	neige	snow

ninguno/a	niemand	aucun	no
noche (la)	Nacht	nuit	night
noticia (la)	Nachricht	nouvelle	news
nunca	niemals, nie	jamais	never

O

ocasión (la)	Gelegenheit	occasion	occasion
oír	hören	entendre	to hear
ojo (el)	Auge	oeil	eye
olivo (el)	Olivenbaum	olivier	olive tree
olvidar	vergessen	oublier	to forget
onda (la)	Welle	onde	wave
oración (la)	Gebet	prière	prayer
organizar	organisieren	organiser	to organize
oro (el)	Gold	or	gold
oscuro/a	dunkel	obscur	dark
otro/a	ein anderer	autre	another
oye (= oír)	(ver *oír*)		

P

padres (los)	Eltern	parents	parents
paisaje (el)	Landschaft	paysage	landscape
pájaro (el)	Vogel	oiseau	bird
palacio (el)	Palast	palais	palace
palmera (la)	Palme	palmier	palm
pan (el)	Brot	pain	bread
papel (el)	Papier	papier	paper
parar	anhalten, stoppen	arrêter	to stop
parecer	aussehen	ressembler	to look like
pared (la)	Wand	mur	wall
pasear	spazierengehen	promener	to walk, to take a walk
patio (el)	Innenhof	cour	courtyard, playground
pena (la)	Leid, Schmerz	peine	sorrow
perder	verlieren	perdre	to loose
piedra (la)	Stein	pierre	stone
pista (la)	Spur	piste	track
plano (el)	Plan	plan	map
planta (la)	Pflanze	plante	plant
playa (la)	Strand	plage	beach

poco/a	wenig	peu	little, few
poner	setzen, stellen	mettre	to put
pozo (el)	Brunnen	puit	well
precioso/a (piedra)	Edelstein	précieux	precious
primo (el)	Vetter, Cousin	cousin	cousin
prisa (la) (tener)	Eile (sich beeilen)	être pressé	to be in a hurry
profundamente	tief	profondément	deeply
proponer	vorschlagen	proposer	to suggest
pueblo (el)	Dorf	village	village
puente (el)	Brücke	pont	bridge
puerta (la)	Tür	porte	door
quedar	bleiben	rester	to stay

Q

quitar	nehmen, wegnehmen	enlever	to take off
quizás	vielleicht	peut-être	maybe

R

rápidamente	schnell	vite	fast
razón (la)	Recht	raison	reason
realidad (la)	Wirklichkeit	réalité	reality
recibir	empfangen	recevoir	to receive
recitar	aufsagen	réciter	to recite
reconocer	erkennern	reconnaître	to recognize
recordar	erinnern	se rappeler	to remember
recuperar	erholen	to recover	récupérer
reflexionar	überlegen	réfléchir	to think (to reflect)
reírse	lachen	rire	to laugh
repetir	wiederholen	répéter	to repeat
resolver	auflösen	résoudre	to resolve
respirar	atmen	respirer	to breathe
ruido (el)	Lärm	bruit	noise
ruta (la)	Route, Weg	route	road

S

saber	wissen	savoir	to know
salida (la)	Ausgang	sortie	exit
salir	ausgehen, weggehen	sortir	to exit, to get out
salón (el)	Saal, Wohnzimmer	salon	living room

saltar	springen	sauter	to jump
señalar	zeigen	montrer	to indicate, to show
separar	trennen	séparer	to separate, to split
serio/a	ernst	sérieux	serious
siempre	immer	toujours	always
siguiente	nächste	suivant	next
sobre	(Brief)umschlag	enveloppe	envelope
sol (el)	Sonne	soleil	sun
solo/a	alleine	seul	seul, seulement, alone, only
solucionar	lösen	résoudre	to solve
sonido (el)	Ton	son	sound
sonreír	lächeln	sourire	to smile
soñar	träumen	rêver	to dream
subir	steigen, hinaufsteigen	monter	to go up
suelo (el)	Boden	sol	floor
sueño (el)	Traum	rêve	dream
suerte (la)	Glück	chance	luck
suspirar	seufzen	soupirer	to sigh

T

también	auch	aussi	too
tarde (la)	Nachmittag	après-midi	afternoon
tesoro (el)	Schatz	trésor	treasure
tiempo (el)	Zeit	temps	time
tienda (la)	Geschäft, Laden	boutique	shop
tierra (la)	Erde, Land, Boden	terre	earth, ground
tocar	berühren	toucher	to touch
todavía	noch	encore	still
tomar	nehmen	prendre	to take
tontería (la)	Dummheit	bêtise	foolishness
tonto/a	dumm	bête	dumb, stupid
tranquilizar	beruhigen	tranquiliser	to calm down
triángulo (el)	Dreieck	triangle	triangle
tumba (la)	Grab	tombe	tomb

U

último/a	letzte	dernier	last
único/a	einzig	unique	unique
usar	benutzen	utiliser	to use

V

vacaciones (las)	Urlaub	vacances	holyday
varios/as	verschieden	plusieurs	several
ventana (la)	Fenster	fenêtre	windows
ventanilla (la)	Fensterchen	hublot	window
vez (la)	Mal	fois	time
viaje (el)	Reise	voyage	trip
vida (la)	Leben	vie	life
viejo/a	alt	vieux	old
vigilante (el/la)	Aufsichtsperson	gardien	guard
visitar	besuchen	visiter	to visit
víspera (la)	Vortag	veille	night before
vista (la)	Sicht	vue	sawn
vivir	leben	view	to live
voz (voces) (la)	Stimme	voix	voice
volver	zurückgehen	revenir/retourner	to go back

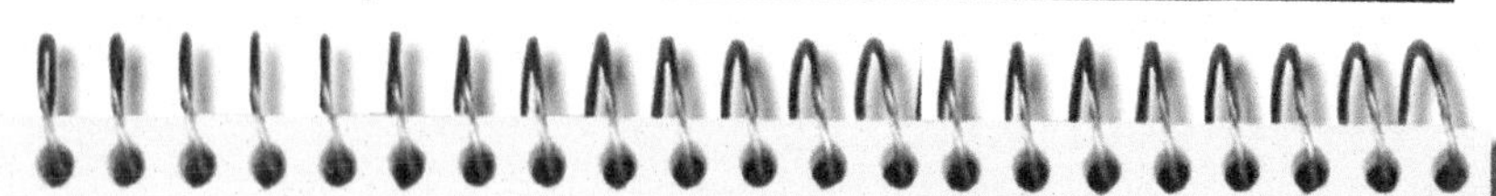

GUÍA DE LECTURA

Capítulo 1

Vacaciones en Cambil, un "pueblo lento"

Comprensión lectora

Contesta a las preguntas.

1. ¿Qué le repite la madre a Rocío?
   ....
2. ¿Dónde van a pasar las vacaciones los tres?
   ....
3. ¿En casa de quién van a estar?
   ....
4. ¿Cuál es la característica de Arbuniel?
   ....
5. ¿Por qué no hay ruido en el pueblo?
   ....
6. Para Andrés, ¿qué clase de comida les dan?
   ....
7. ¿Qué ruido les despierta por la mañana?
   ....

Usos de la lengua

1. *Mi madre –dice Rocío– me presiona.*
   a. ¿Qué significa esta frase? ....
   b. Dilo de otra manera: ....

2. Da otro título a este capítulo.
   ....

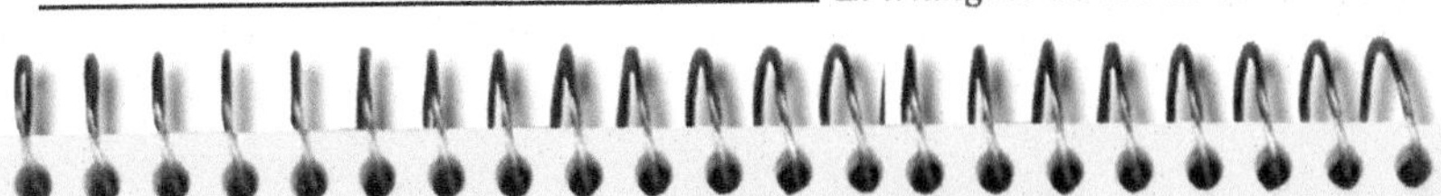

Capítulo 2

La radio de galena

Comprensión lectora

Elige la opción correcta.

1. En el mercado del pueblo, ...
   a. solo se vende comida.
   b. solo se vende ropa.
   c. se practica el trueque.
   d. se arreglan radios.

2. Los chicos compran ....
   a. un CD de música.
   b. una radio de galena.
   c. pilas para la radio.
   d. unos auriculares.

3. Los chicos descubren que ....
   a. alguien se ha escapado de su casa.
   b. un niño se ha caído a un pozo.
   c. alguien ha robado en una casa.
   d. se ha producido un incendio en el pueblo.

Usos de la lengua

1. *Sin decir una palabra.*
   Dilo de otra manera: ....

2. Encuentra una pregunta a la respuesta dada:
   ....
   Para escuchar las ondas que están en el aire.

3. Resume en unas líneas el capítulo.
   ....
   ....
   ....

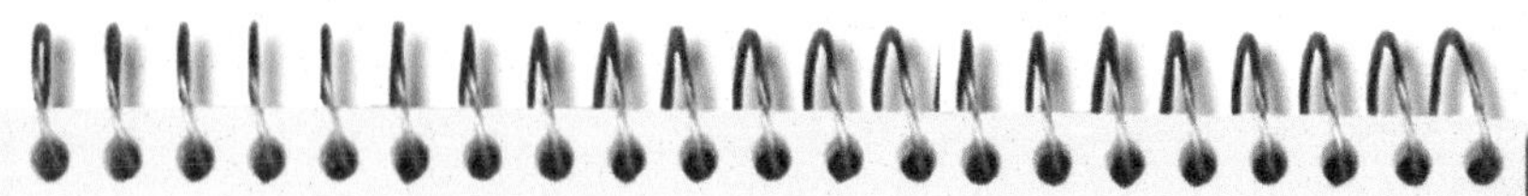

Capítulo 3

Un viaje por Andalucía: Córdoba, la ciudad de las tres culturas

Comprensión lectora

¿Verdadero o falso? **V F**

1. Los chicos van de excursión al sur de España. ☐ ☐
2. Participan en un concurso escolar. ☐ ☐
3. El juego se llama *Los 3 misterios.* ☐ ☐
4. Los chicos tienen que buscar 3 barcos. ☐ ☐
5. El viaje comienza por la ciudad de Córdoba. ☐ ☐
6. Lo primero que visitan es el Alcázar. ☐ ☐
7. En la mezquita hay un bosque de palmeras. ☐ ☐
8. La catedral está dentro de la mezquita. ☐ ☐
9. Al salir van por unas calles llenas de flores. ☐ ☐
10. El río Guadalquivir pasa por la ciudad. ☐ ☐

Usos de la lengua

1. *Al salir van por unas calles.*
   Dilo de otra manera: ....
2. Rocío dice: "Van a ser, van a ser...". ¿Por qué lo repite?
   ....
3. Termina el capítulo de otro modo:
   Cuando llegan al autobús, todos están esperando y el guía les dice:
   "..
   ....
   ....".

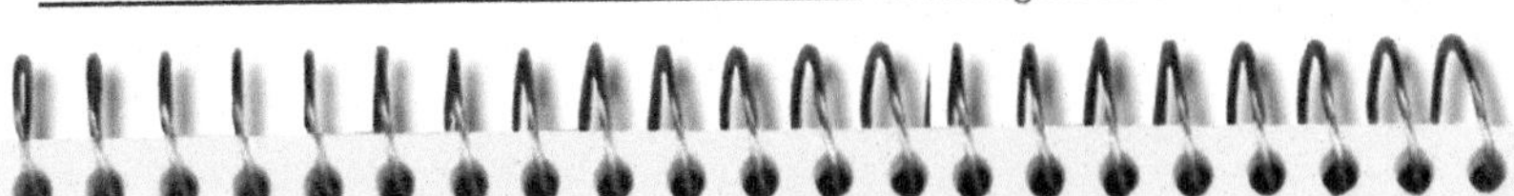

Capítulo 4 Camino de Sevilla

Comprensión lectora
Contesta a las preguntas.

1. ¿Adónde van los chicos en este capítulo?
   ....
2. ¿Qué fotos están mirando Juan y Rocío?
   ....
3. ¿Quién fue el último rey moro de Granada?
   ....
4. ¿Qué canción pone Luis?
   ....
5. ¿Qué foto del Alcázar les llama la atención?
   ....
6. ¿Por qué les mira con curiosidad el grupo de la excursión?
   ....
7. ¿Para qué necesitaba dinero Cristóbal Colón?
   ....

Usos de la lengua

1. *Ya, ya.*
   a. ¿Qué significa?
   b. Dilo de otra manera.

2. Busca un sinónimo de:
   De pronto: ....

3. *Andrés escribe...*
   ¿Qué puede escribir Andrés?
   ....

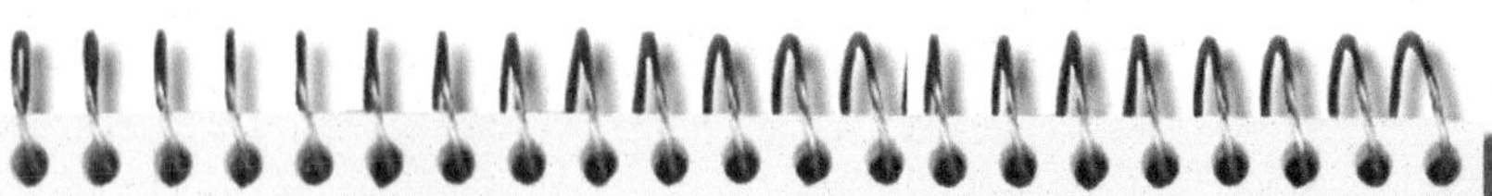

Capítulo 5

Sevilla, la ciudad de las maravillas

Comprensión lectora
Elige la opción correcta.

1. El autobús pasa por delante ....
   a. de la Exposición Universal de 1492.
   b. de la catedral.
   c. del río Guadalquivir.
   d. del Alcázar.

2. Los chicos suben a la Giralda ....
   a. por las escaleras. b. en ascensor.
   c. por unas rampas. d. en teleférico.

3. El fruto de Sevilla es ....
   a. la aceituna. b. la granada.
   c. la naranja. d. el limón.

Usos de la lengua

1. Busca en el capítulo una expresión semejante.
   Estoy muy contento: ....

2. *¡Qué ricas las naranjas!*
   a. ¿Qué significa esta frase?
   ....
   b. ¿Puedes construir otra frase del mismo tipo?
   ....

3. Haz un resumen en 3 líneas del capítulo.
   ....
   ....
   ....

4. ¿Qué otro título puedes dar a este capítulo?
   ....

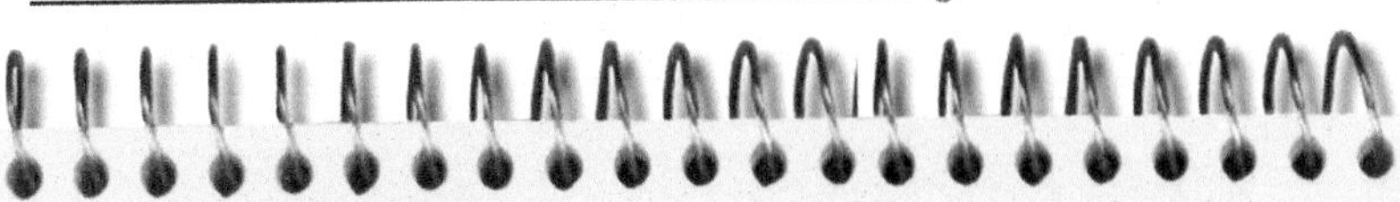

Capítulo 6 Camino de Granada

Comprensión lectora

¿Verdadero o falso?

		V	F
1.	La noche anterior, los chicos han estado en el barrio de la Macarena.	☐	☐
2.	Los tres están satisfechos del trabajo hecho.	☐	☐
3.	Dentro del escudo de España se lee: *Non Plus Ultra*.	☐	☐
4.	Los chicos encuentran el tercer fruto.	☐	☐
5.	El autocar pasa por "los pueblos blancos".	☐	☐
6.	Los chicos tienen que buscar un cuadro.	☐	☐
7.	Rocío pide ayuda a los espíritus inmortales.	☐	☐
8.	Una señora que está al lado de ellos escucha música.	☐	☐
9.	El cuadro permite resolver los enigmas.	☐	☐
10.	Solo les queda por resolver el problema de "los pueblos blancos".	☐	☐

Usos de la lengua

1. ¿Cómo se llaman los habitantes de estas provincias?
   De Granada, ...
   De Sevilla, ...
   De Córdoba, ...

2. Explica el lema de las columnas en el escudo de España:
   ....
   ....

3. Busca en el capítulo una expresión contraria a:
   en voz baja ....

4. ¿Por qué el libro se titula *Las lágrimas de Boabdil*?
   ....

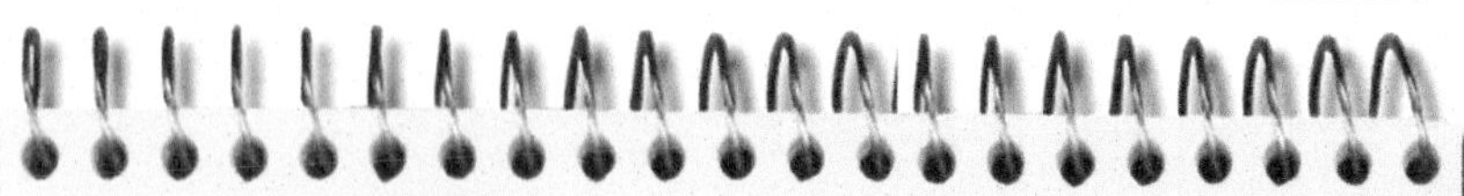

Capítulo 7

Fin del viaje:
Granada, la clave de los enigmas

Comprensión lectora

1. ¿Cómo se llama el monte más alto de la península ibérica?
 ....
2. ¿Por dónde empiezan la visita de la Alhambra?
 ....
3. ¿A quién encuentran al salir de la Alhambra?
 ....
4. ¿Qué le da esta persona a Rocío?
 ....
5. ¿Qué dice la última pista para terminar el juego?
 ....
6. ¿Qué está observando Andrés en la Lonja de la catedral?
 ....
7. ¿Quiénes están enterrados en la Capilla Real?
 ....
8. ¿En qué sitios se encuentran los restos de Colón?
 ....
9. ¿A qué ciudades llama Juan "el triángulo de oro andaluz"?
 ....

Usos de la lengua

1. El dicho popular es: "Quien no ha visto Sevilla no ha visto maravilla".
 Complétalo tú de otro modo.
 Quien no ha visto... no ha visto...

2. *No consigue hablar.*
 Dilo de otra manera:
 ....

3. Pon otro título al capítulo.
 ....

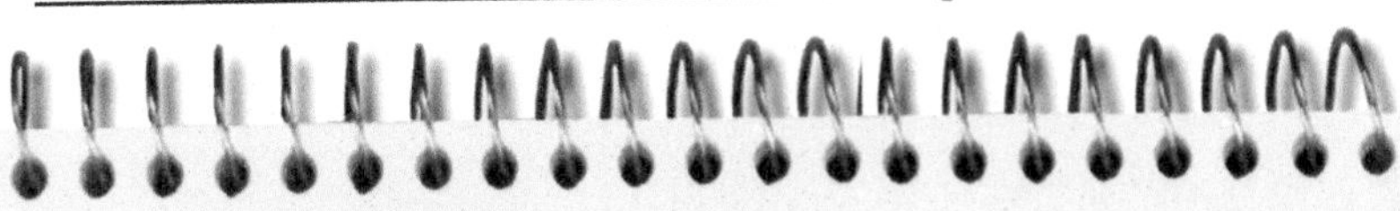

Capítulo 8 El premio

Comprensión lectora

Elige la opción correcta.

1. Los chicos rellenan el cuaderno y ....
   a. les faltan fotos.
   b. les falta una pista.
   c. lo tienen todo.
   d. tienen que encontrar un objeto.

2. La estatua en la plaza de Isabel la Católica representa a ....
   a. Colón e Isabel.
   b. los Reyes Católicos y Colón.
   c. Colón y Fernando.
   d. los tres personajes.

3. El premio que han ganado es ....
   a. un crucero por las islas.
   b. un viaje por la ruta de los castillos.
   c. un viaje para seguir el camino del español.
   d. una excursión por el camino de Santiago.

Usos de la lengua

1. a. ¿Qué significa la expresión? *Ni hablar*
   ....
   b. Dilo de otra manera:
   ....

2. Da sinónimos de las expresiones:
   "Antes de volver" ....
   "Tiene que contestar" ....
   "Les entrega un sobre" ....

3. ¿Puedes imaginar algo de lo que va a ocurrir en la ruta del español?
   ....

NOTAS:

NOTAS:

....

....

....

....

....

....

....

....

....

....

....

....

....

....

....

....

....

....

....

....

....

....

....

....

• Además, encontrarás las claves de la guía de lectura e

El secreto de la cueva
Tres chicos encuentran en una cueva una foto de cinco jóvenes y varios objetos, entre ellos una carta que hay que descifrar.
978-84-7711-701-8

La isla del diablo
En Lanzarote, la isla del diablo, los chicos conocen a Enrique, una de las personas de la foto que les explicará por qué algunos de ellos volvieron a España y solo Amancio se ha quedado en México, su próxima etapa.
978-84-7711-702-5

El enigma de la carta
Los chicos consiguen descifrar la carta y encontrar el lugar donde está Amancio. Pero no saben cómo ir a México. Afortunadamente, este año sus colegios de Valladolid van a participar en un intercambio cultural con México. ¿Encontrarán a Amancio?
978-84-7711-703-2

Misterio en Chichén Itzá
Cuando llegan a México, todo les sorprende. Conocen muchos aspectos de la civilización maya y azteca. Descubren secretos sobre la vida de Amancio, que estuvo también en la República Dominicana. De regreso a España piensan que Santo Domingo es su próximo destino.
978-84-7711-704-9

En busca del ámbar azul
Los chicos viajan a la isla de Santo Domingo. Se enfrentan a unos piratas en la isla Saona, conocen a una mujer india muy especial -Quisqueya- y después de pasar una noche perdidos en el bosque recibirán de Quisqueya una piedra preciosa: el ámbar azul.
978-84-7711-574-8